THIS BOOK
BELONGS TO:

For Anna
M.W.

For Sebastian,
David & Candlewick
H.O.

Published by arrangement with Walker Books Ltd, London

Dual language edition first published 2006 by Mantra Lingua
Global House, 303 Ballards Lane, London N12 8NP
http://www.mantralingua.com

Polish translation by Jolanta Starek-Corile
This edition 2012

A CIP record of this book is available from the British Library

Printed in Hatfield,UK FP080812PB09120535

Pracowita kaczka

FARMER DUCK

written by
MARTIN WADDELL

illustrated by
HELEN OXENBURY

Mantra Lingua

Była sobie kiedyś kaczka, która miała pecha,
bo mieszkała z leniwym rolnikiem.
Kaczka wykonywała pracę, a rolnik spędzał
całe dnie w łóżku.

There once was a duck who had the bad luck
to live with a lazy old farmer.
The duck did the work.
The farmer stayed
all day in bed.

Kaczka przyprowadziła z pola krowę.
„Jak idzie praca?" – zawołał rolnik.
Kaczka odpowiedziała – „Kwa, kwa!"

The duck fetched the cow from the field.
"How goes the work?"
called the farmer.
The duck answered,
"Quack!"

Kaczka sprowadziła ze wzgórza owcę.
„Jak idzie praca?" – zawołał rolnik.
Kaczka odpowiedziała – „Kwa, kwa!"

The duck brought the sheep from the hill.
"How goes the work?" called the farmer.
The duck answered,
"Quack!"

Kaczka zagoniła kury do kurnika.
„Jak idzie praca?” – zawołał rolnik.
Kaczka odpowiedziała – „Kwa, kwa!”

The duck put the hens in their house.
“How goes the work?”
called the farmer.
The duck answered,
“Quack!”

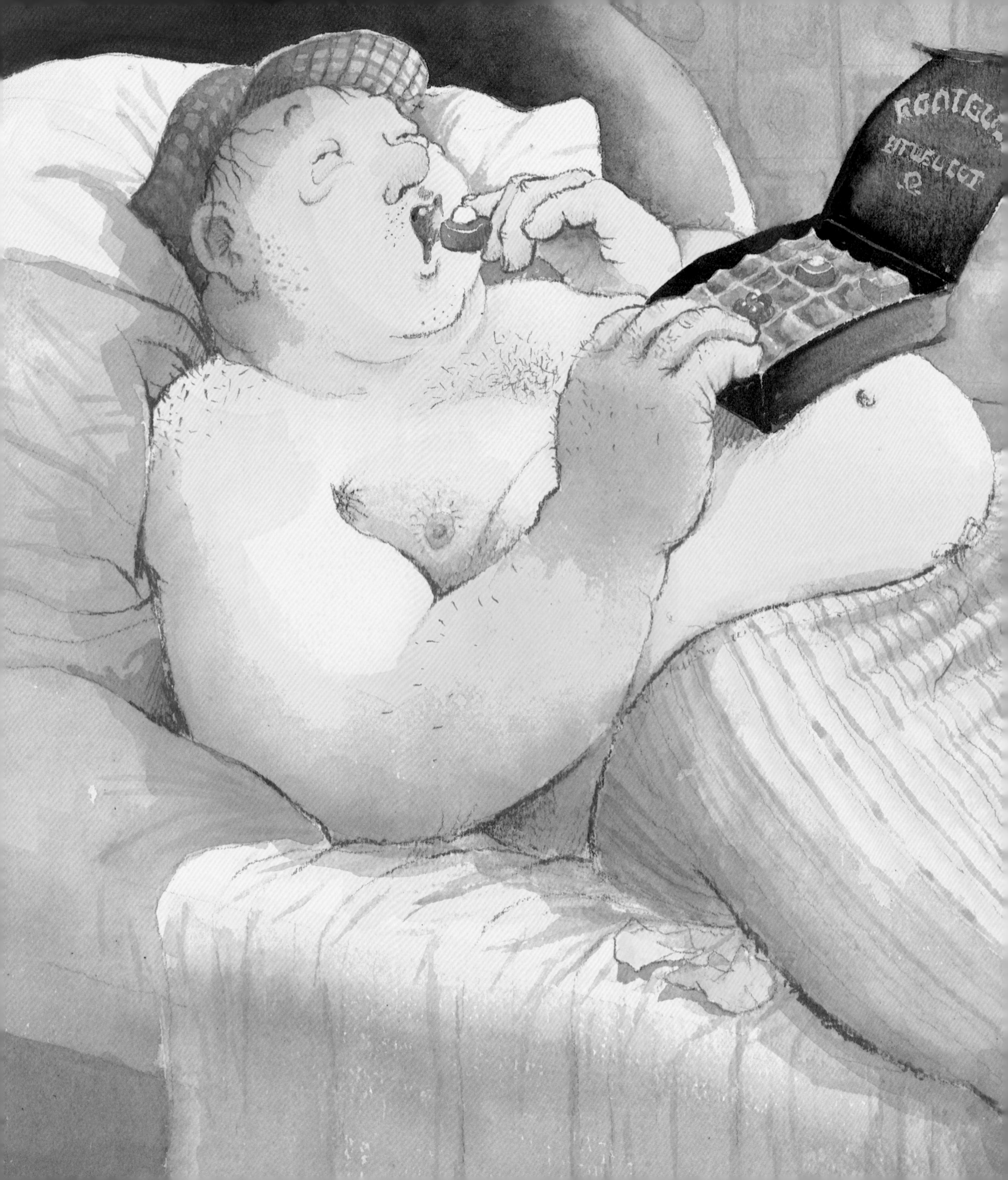

Rolnik przytył wylegując się w łóżku,
a biedną kaczkę znudziła całodniowa praca.

The farmer got fat through staying in bed
and the poor duck got fed up
with working all day.

„Jak idzie praca?”
„Kwa, kwa!”

“How goes the work?”
“QUACK!”

„Jak idzie praca?”
„Kwa, kwa!”

“How goes the work?”
“QUACK!”

„Jak idzie praca?"
„Kwa, kwa!"

"How goes the work?"
"QUACK!"

„Jak idzie praca?"
„Kwa, kwa!"

"How goes the work?"
"QUACK!"

„Jak idzie praca?”
„Kwa, kwa!”

“How goes the work?”
“QUACK!”

„Jak idzie praca?”
„Kwa, kwa!”

“How goes the work?”
“QUACK!”

Biedna kaczka była śpiąca,
bliska łez i bardzo zmęczona.

The poor duck was sleepy
and weepy
and tired.

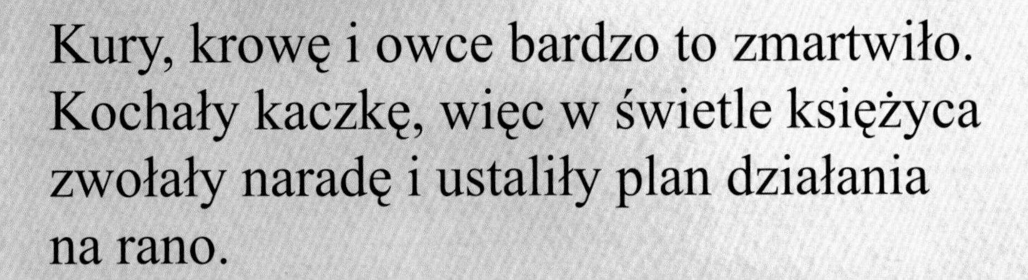

Kury, krowę i owce bardzo to zmartwiło.
Kochały kaczkę, więc w świetle księżyca
zwołały naradę i ustaliły plan działania
na rano.

„MUUU!” – powiedziała krowa.
„BEE!” – odrzekły owce.
„KO, KO!” – zawtórowały kury.
I taki był ich plan.

The hens and the cow
and the sheep got very
upset.
They loved the duck.
So they held a meeting
under the moon and
they made a plan
for the morning.

“MOO!” said the cow.
“BAA!” said the sheep.
“CLUCK!” said the hens.
And THAT was the plan!

Tuż przed świtem na podwórzu panowała cisza.
Krowa, owce i kury chyłkiem wemknęły się
do domu tylnymi drzwiami.

It was just before dawn and the farmyard was still.
Through the back door and into the house
crept the cow and the sheep and the hens.

Ukradkiem przemknęły się
przez korytarz i weszły na górę
po skrzypiących schodach.

They stole down the hall.
They creaked
up the stairs.

Wśliznęły się pod łóżko rolnika i zaczęły się wiercić. Łóżko się zakołysało, a rolnik obudził się i zawołał – „Jak idzie praca?”, a wtedy...

They squeezed under the bed of the farmer and wriggled about. The bed started to rock and the farmer woke up, and he called, “How goes the work?” and…

„MUUU!”
„BEE!”
„KO, KO!”

“MOO!”
“BAA!”
“CLUCK!”

Zwierzęta uniosły łóżko, stary rolnik zaczął krzyczeć, a one sprawiły mu takie lanie i wykurzyły go z łóżka...

They lifted his bed and he started to shout, and they banged and they bounced the old farmer about and about and about, right out of the bed...

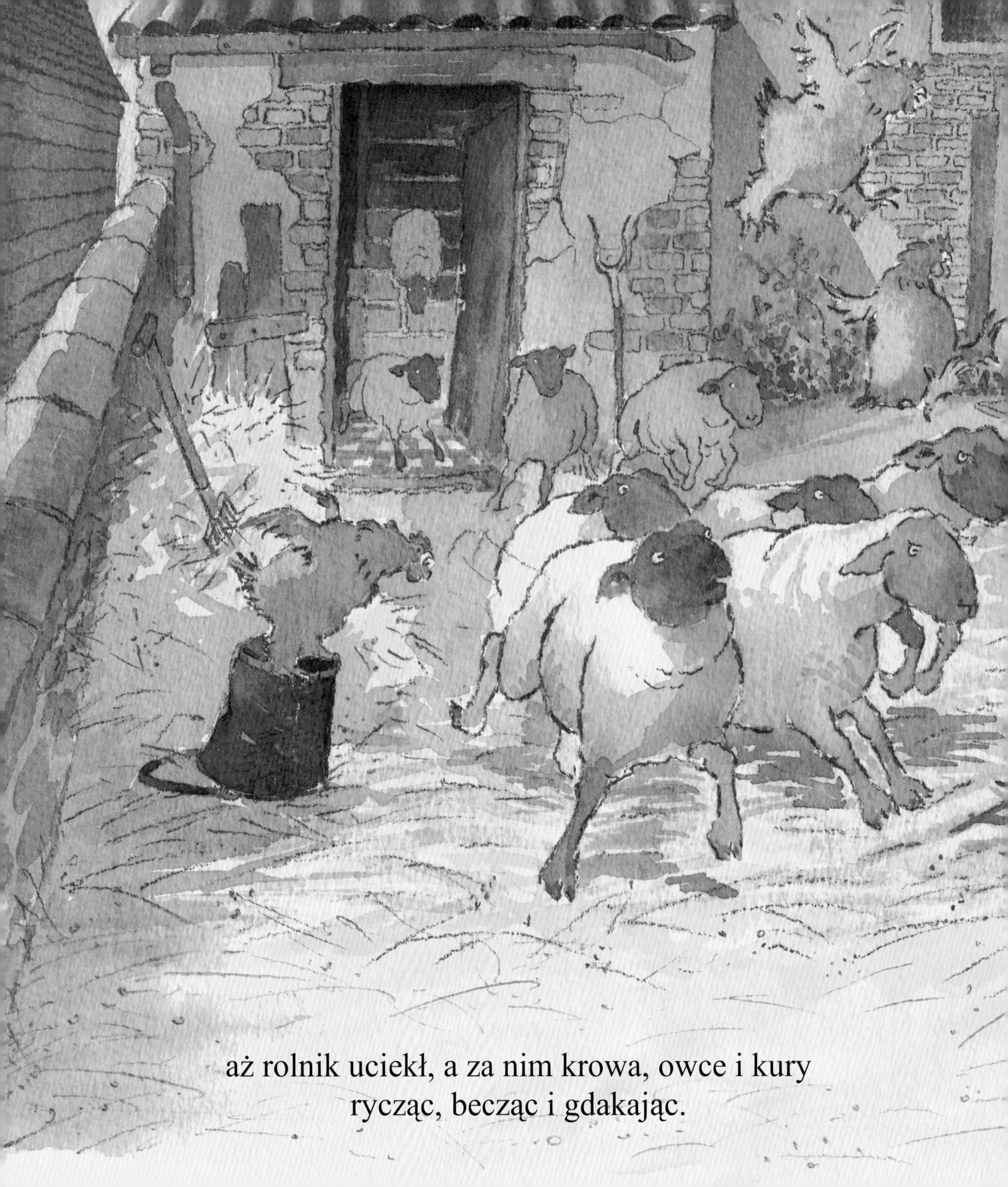

aż rolnik uciekł, a za nim krowa, owce i kury
ryczą̨c, becząc i gdakając.

and he fled with the cow and the sheep and the hens
mooing and baaing and clucking around him.

Ścieżką...
„Muuu!”

Down the lane...
“Moo!”

przez pola...
„Bee!”

through the fields...
“Baa!”

za wzgórza...
„Ko, ko!"

over the hill…
"Cluck!"

i nigdy już nie powrócił.

and he never came back.

Kaczka obudziła się i znużona
poczłapała na podwórko
oczekując usłyszeć:
„Jak idzie praca?”
Ale nikt się nie odezwał!

The duck awoke and waddled wearily into the yard expecting to hear, "How goes the work?"
But nobody spoke!

Wtedy powróciła krowa, owce i kury.
„Kwa, kwa?" – zapytała kaczka.
„Muuu!" – odpowiedziała krowa.
„Bee!" – odrzekły owce.
„Ko, ko!" – dodały kury.
I tak opowiedziały kaczce całą historię.

Then the cow and the sheep and the hens came back.
"Quack?" asked the duck.
"Moo!" said the cow.
"Baa!" said the sheep.
"Cluck!" said the hens.
Which told the duck
the whole story.

Po czym zabrały się do pracy na farmie
gwarnie przy tym porykując, becząc,
kwacząc i gdakając.

Then mooing and baaing
and clucking and quacking
they all set to work
on their farm.

Here are some other bestselling dual language books from Mantra Lingua for you to enjoy.